# un max de probl

L. M. Nicodemo

Illustrations de Graham Ross
Traduit de l'anglais par Isabelle Allard

Héritage jeunesse

À tous les enfants
qui ont déjà eu
UNE MAUVAISE
JOURNÉE!

# Table des matières

# Chapitre un

# La méga Bougeotte

Maximus Todd se réveille en sursaut en ce lundi matin. Son cœur cogne dans sa poitrine. Ses jambes frétillent.

Il a des fourmis dans les bras, jusqu'au bout des doigts.

Et dans sa tête, c'est tout un BROUHAHA

— Oh, non! gémit-il. Je sens que ça va être une mauvaise journée.

Les mauvaises journées, c'est quand Max ne peut pas tenir en place.

IL A LA BOUGEOTTE.

IL GIGOTE.

## IL SAUTE PARTOUT COMME UN KANGOUROU.

Durant les fins de semaine ou les vacances d'été, ce n'est pas si grave. Mais quand ça se produit un jour d'école, c'est un vrai désastre. Comment éviter les ennuis quand on se sent prêt à éclater comme du maïs soufflé dans un **MICRO-ONDES ?**

## HEUREUSEMENT, MAXIMUS EST UN PETIT FUTÉ.

Il sait comment calmer sa Méga Bougeotte. Il va inventer un jeu dans sa tête. S'il garde son cerveau bien occupé, son corps aura moins tendance à bouger.

Max appuie son menton sur sa main et essaie de réfléchir.

**TOUT CE QU'IL ME FAUT, C'EST UNE IDÉE, SE DIT-IL.**

Quand sa mère entre dans sa chambre, Max est habillé. Il se sent beaucoup mieux et fredonne la chanson thème de son émission préférée, *Les Cyborgs justiciers*. C'est ce qu'il chantonne quand il est de bonne humeur.

— Da-da-doum-doum...

— Tu es déjà prêt? s'exclame sa mère en lui donnant un câlin. Veux-tu des rôties et des céréales?

Max réfléchit quelques secondes.

**— HUM... OUI, CE SERAIT GÉNIAL!**

— Quel enthousiasme en ce lundi matin! dit sa mère en riant.

— Merci, maman, lui lance Max. Je me sens vraiment bien!

Elle sort pour aller chercher Sarah. Max entend sa petite sœur crier dans son lit:

— Fini dodo!

Pendant le déjeuner, Max utilise DEUX cuillères pour manger ses céréales *Choco laser*. Il veut aller vite – plus vite que papi, qui est déjà assis à la table et qui lit son journal.

Généralement, le grand-père de Max ne parle pas beaucoup le matin.

– Vous ne tirerez pas un mot de moi avant que j'aie bu mon café! a-t-il l'habitude de dire.

Aujourd'hui, c'est exactement ce que veut Max, qui espère avoir fini son déjeuner avant que papi ait terminé sa tasse. Rapide comme l'éclair!

Sauf que le cliquetis des cuillères attire l'attention de son grand-père.

– Hé, Max, calme-toi. Tu manges trop vite, mon garçon!

Maximus lève les yeux de son bol presque vide. Il essaie de cacher une des cuillères sous sa serviette.

**– HEU, C'EST PARCE QUE... C'EST TROP BON!**

Son grand-père grommelle, puis reprend sa lecture.

Max recommence à utiliser ses deux cuillères, mais cette fois, sans tintements ni cliquetis. Une fois ses céréales disparues, il disparaît lui aussi.

# Chapitre deux

## Le jeu secret

De retour dans sa chambre, Max suit les étapes de sa liste matinale. Chaque jour, il répète les mêmes gestes dans un ordre précis. Sinon, il se sentirait bizarre en dedans, comme un casse-tête auquel il manque des morceaux.

- [x] **PRÉPARER MON SAC.**
- [x] **ME BROSSER LES DENTS.**
- [ ] **ME PEIGNER.**

Max se regarde dans le miroir en fronçant les sourcils. Il tapote ses cheveux. Il les étire. Il crache dans sa main et essaie d'utiliser sa salive pour lisser ses mèches rebelles.

**ÇA NE SERT À RIEN. SES CHEVEUX SE REDRESSENT AUSSITÔT.**

Max hausse les épaules. Me peigner? C'est fait.

## C'EST L'HEURE DU SERMENT SOLENNEL.

À la télévision, les juges demandent toujours de prêter serment. Pour Max, ça veut dire que sa promesse compte vraiment.

— Moi, Maximus Todd, dit-il à voix haute, je promets de répondre par une rime à chaque fois que quelqu'un m'adressera la parole. Je vais rimer mes réponses jusqu'à ce que la cloche sonne la fin des classes.

**SI JE PERDS, JE DEVRAI DONNER TOUTES MES BD DE LASERMAN. JE LE JURE.**

Max jette un coup d'œil à sa collection de BD. Elles sont empilées sur l'étagère, chacune protégée par une pochette en plastique. Il sort le tome 18, *Laserman contre Destructo*, et le serre contre sa poitrine.

Perdre à ce jeu serait plus terrible que tout, encore **PIRE QUE MANGER DU BROCOLI.**

Il est l'heure de partir. Maximus ouvre la porte de sa chambre et observe le couloir pour s'assurer qu'il est désert. Inutile de parler à quelqu'un à moins d'y être obligé.

— La voie est libre, chuchote-t-il sur un ton de conspirateur.

**J'Y VAIS!**

#17
#18
contre
#6
ET
LE MONSTRE
DU MARAIS

## Max dévale l'escalier.

Dans le vestibule, il enfile ses souliers de course, prend sa veste et avance vers la porte. Soudain, quelqu'un agrippe son sac à dos. Il tourne la tête. C'est sa mère.

Maximus pousse un soupir.

Il sait que sa mère a toujours quelque chose à dire.

— Pas si vite, mon gars! Tu oublies mon bisou!

*Ah! Ah! Je le savais*, pense Max.

Il lève les yeux vers le visage souriant de sa mère et lui sourit en retour.

— Mais non, je n'oublie rien du tout!

**Il plaque un gros baiser sur sa joue, puis sort de la maison.**

# Chapitre trois

# La pire peste de la planète

*Fiou! J'ai eu chaud!* pense Max une fois sur le trottoir. *Maintenant, je dois me rendre à l'école avant que...*

**La tape dans le dos qu'il reçoit le fait presque trébucher.**

**— SALUT, MAX, ÇA VA? LE SALUE MARIE-SOPHIE DE SA VOIX HAUT PERCHÉE HYPER AGAÇANTE.**

Elle envoie sa longue queue de cheval vers l'arrière, et ses cheveux frôlent la tête de Max. **Elle l'a fait exprès.**

Max fronce les sourcils.

Il y a trois choses que Maximus reproche à Marie-Sophie Soucy.

1. Elle vit à quelques maisons de chez lui.
2. Elle est dans sa classe de troisième année.
3. C'est la pire peste de la planète.

Il accélère le pas.

– Salut, marmonne-t-il. Je suis en retard, il faut que je presse le pas.

Marie-Sophie accélère pour marcher à ses côtés. Oh, non, pense Max.

– On va regarder un film en classe, aujourd'hui, dit Marie-Sophie. J'espère qu'il ne sera pas ennuyant. Madame Rioux dit que ça parle de plantes.

– Ça ne devrait pas être si mal, réplique Max. Au moins, ça ne parle pas... d'amiante.

Il donne un coup de pied sur un caillou et marche un peu plus vite.

**SURPRISE, MARIE-SOPHIE SE HÂTE DE LE SUIVRE.**

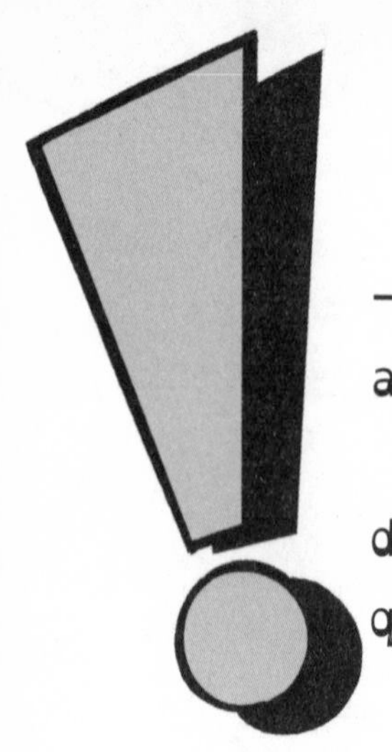

— Qu'est-ce que l'amiante a à voir avec ça?

Max sent son cœur cogner dans sa poitrine pendant qu'il cherche une rime.

**— VOYONS, MARIE-SOPHIE! JE N'AI TOUT SIMPLEMENT PAS ENVIE DE REGARDER UN FILM SUR L'AMIANTE! VOILÀ!**

Maintenant, il marche si vite que Marie-Sophie doit courir pour rester à sa hauteur.

**Il fait mine de ne pas remarquer son expression perplexe.**

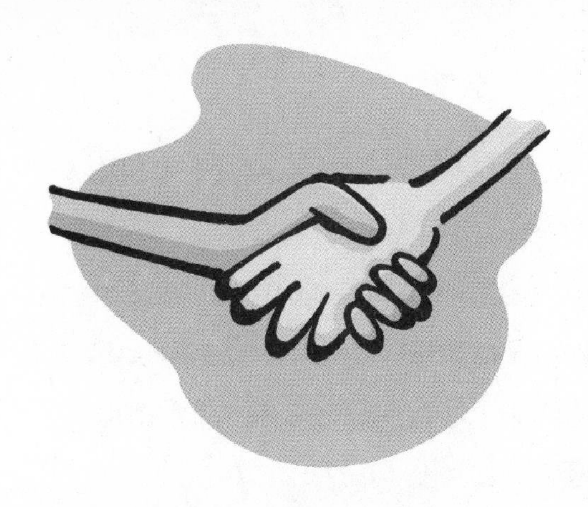

– Qu'est-ce qui se passe?
Tu as un drôle d'air! dit-elle en lui saisissant la main.

**Maximus cligne des yeux et trouve enfin une rime pour répliquer:**

**– Rien... Heu, rien, ma chère.**

Il sent ses joues devenir rouges
comme de la sauce à pizza.
Son visage se plisse dans
une affreuse grimace. D'habitude
il fait plutôt ce genre de grimace
dans le dos de Marie-Sophie,
pas en la regardant dans les yeux!

**IL PART EN**
**COURANT.**

# Chapitre quatre

# Du tac au tac

Drrring! Maximus attend que la cloche sonne pour se glisser dans la classe. Comme ça, il n'aura pas le temps de parler avec qui que ce soit. Les autres élèves sont déjà à leur pupitre, impatients que la journée commence. En avançant dans l'allée, Max voit arriver Marie-Sophie.

**ELLE LUI SOURIT COMME UN CHAT. UN CHAT QUI AURAIT ATTRAPÉ UNE SOURIS.**

Cela le rend mal à l'aise.

— Maximus Todd! Tu es presque en retard, dit son enseignante.

**— Désolé, Madame Rioux. Ce serait une erreur de ma part.**

Il s'empresse d'aller s'asseoir.

La journée commence toujours par une chanson. Max se lève et chante avec les autres. Il sent sa Méga Bougeotte qui le démange. Alors, il agite les orteils à l'intérieur de ses chaussures. Tortille-frétille. Tortille-frétille.

**ÇA N'AIDE PAS BEAUCOUP.**

La, La, La, La....
1x4=
4÷4=
40÷
4x4=

**IL DOIT SE CONCENTRER SUR SON JEU**

Mais pourra-t-il rimer ses réponses toute la journée?

**IL EST TROP TARD POUR CHANGER LES RÈGLES.**

Après les annonces du matin, Maximus travaille sur une affiche de multiplication avec son groupe de maths.

Ils ont décidé de dessiner une forêt pour illustrer la table de huit. Tout le monde travaille fort, sauf Max. Affalé sur sa chaise, il agite les jambes sous la table et **attend que quelqu'un fasse un commentaire.**

Laurie Saulnier est la première à lui parler.

C'est la meneuse du groupe, car elle aime dire aux autres quoi faire. Elle lui tapote le bras et demande:

— Pourrais-tu découper les feuilles pour les branches?

— **Passe-moi les ciseaux!** dit-il en se redressant. J'ai du pain sur la planche!

Max est lui-même étonné d'avoir trouvé une rime aussi vite!

Laurie tend la main vers les ciseaux, mais elle ne les lui donne pas tout de suite.

– Je vais te MONTRER, dit-elle, comme si Max n'avait jamais fait de découpage. Comme ceci!

Elle découpe le long d'une feuille déjà tracée.

– Heu… compris! dit Max.

*J'ai encore réussi!* se réjouit-il.

Il découpe soigneusement pendant que Laurie regarde par-dessus son épaule.

– On dirait que tu sais te servir de ciseaux, déclare-t-elle avec son ton arrogant habituel.

– Mais oui, répond Max. Et c'est plus amusant que de coller des morceaux!

À l'autre bout de la pièce, le groupe de Marie-Sophie dessine des bocaux de bonbons sur une affiche. Pendant qu'elle colorie les bonbons, Marie-Sophie regarde Max.

**— C'EST LE TEMPS DE LUI JOUER UN PETIT TOUR, MARMONNE-T-ELLE.**

Elle se lève et s'avance vers la table de Maximus.

— Hé, Max, aurais-tu un marqueur bleu?

Elle insiste fortement en prononçant le mot «bleu». Elle a très bien compris à quoi joue Maximus!

*Elle m'énerve*, pense celui-ci. Il aimerait tant que Marie-Sophie ne soit pas au courant de ses jeux secrets!

Il y a quelque temps, Marie-Sophie a obligé Maximus à lui avouer la vérité à propos des petits jeux qu'il invente

pour mieux résister à la bougeotte. Elle avait kidnappé sa figurine de Laserman.

— Dis-moi un secret et je te la redonne.

Max a d'abord refusé. Mais quand elle a menacé d'embrasser Laserman sur la bouche, il a cédé et lui a tout raconté.

**— PERSONNE D'AUTRE N'EST AU COURANT,**

a-t-il expliqué, en lui faisant jurer de ne jamais révéler son secret.

Puis Marie-Sophie lui a demandé si elle pouvait jouer avec lui. Max était furieux.

– NON! a-t-il répliqué. **Mes jeux sont COMPLIQUÉS, et tu n'es pas assez futée!**

Max se demande si Marie-Sophie veut maintenant se venger de son refus. Elle est plantée là, les mains sur les hanches, à tapoter du pied en attendant qu'il trouve une rime en «eu».

– Laisse-moi vérifier, Marie-Chipie. Tiens, c'est ça que TU VEUX?

Il sort un marqueur bleu de la boîte et le lui tend. Il gonfle la poitrine et lui sourit.

Marie-Sophie pousse un grognement et fait une nouvelle tentative:

– Merci. Je te le rapporterai quand j'aurai fini mon AFFICHE.

Max plisse les lèvres. ***Qu'est-ce qui rime avec «affiche»?***

Cette fois, il lui faut un peu plus de temps pour trouver une rime.

– ***Ce n'est pas grave. Tu peux le garder, je m'en FICHE!***

Il continue de découper ses feuilles en fredonnant d'un air insouciant. Marie-Sophie le foudroie du regard, puis retourne à sa table avec son marqueur bleu – dont elle n'avait pas vraiment besoin, bien sûr.

# Chapitre Cinq

# Double rime

Lorsque la cloche de la récré sonne, Max se hâte de sortir le premier. La récré est un bon moment pour dépenser une partie de son trop-plein d'énergie. Afin d'avoir un répit de son petit jeu, il décide de suivre un plan très simple:

**ÉVITER TOUT LE MONDE.**

Malheureusement, les jumeaux Fernandez l'attendent près de la porte.

— Hé, Max! dit Luis en lui tirant la manche. Viens avec nous. On va jouer au jeu des quatre coins.

— Oui, le jeu des quatre coins, Max! renchérit Jorge. Ce sera amusant!

Max regarde ses copains. Les mêmes cheveux noirs. Les mêmes lunettes. Des vêtements assortis. C'est rigolo. En plus, ils parlent de la même façon. Jorge répète tout ce que dit Luis, comme un écho dans un canyon.

**UN ÉCHO?!** Max reste bouche bée, et son estomac se serre.

S'il reste avec les jumeaux, il devra DOUBLER les rimes. Deux, quatre, six, zut!

Il est dans un **DOUBLE PÉTRIN!**

Il sautille d'un pied puis de l'autre, paniqué. Il doit trouver une réponse, et vite! Coin, amusant, coin, amusant...

— Je vois un ours au loin... Il a l'air méchant! lance-t-il d'une voix un peu trop forte.

Luis prend une expression étonnée. Jorge se tourne pour voir si Max a vraiment vu un ours. D'autres enfants l'ont entendu et éclatent de rire.

**Max s'en fiche.**

Il tourne les talons et s'enfuit à l'extrémité de la cour d'école. En atteignant la clôture, il se penche pour reprendre son souffle. Les jumeaux Fernandez ont failli le faire échouer. Il s'en est tiré de justesse!

— Hé, Max. Pourquoi es-tu à l'autre bout de la cour?

Max sursaute. Il n'a pas entendu Marie-Sophie s'approcher.

**Et c'est reparti...**

— Parce que je ne veux pas que tu me tournes autour!

Avec un regard furieux, elle rétorque:

— Je sais ce que tu fais. Ce n'est même pas amusant!

Sans hésiter, Maximus invente une autre rime:

— Donne-moi donc tout ton argent!

Marie-Sophie serre les dents.

— Tu vas regretter de ne pas me laisser jouer. Tu verras!

Max hésite un instant.

S'il répond, Marie-Sophie va tout faire pour lui gâcher l'existence. Mais il ne peut pas se retenir. Il est sur sa lancée.

— Pas question, Marie-Sophie! Tu es une idiote qui sent le caca!

Il ricane et part de l'autre côté du terrain.

— Tu veux la guerre, Maximus Todd? TU VAS L'AVOIR!

La voix de Max retentit au loin:

**— NOIR! SOIR! ABREUVOIR!**

# TU VEUX LA GUERRE ?

# Chapitre six

# Sur le gril

— Les enfants, annonce Madame Rioux après la récré, mettez-vous en équipe avec votre compagnon de lecture. Allez chercher votre roman dans les bacs au fond de la classe. On commence dans trois minutes.

La compagne de lecture de Max est **Dana Daminski**. Dana la drôle, Dana la douée.

Dana qui sent les fleurs et les guimauves.

Chaque fois qu'ils s'assoient ensemble, Max a l'impression de flotter sur un nuage.

La Méga Bougeotte de Maximus n'a aucune chance auprès de cette fille. Mais Dana n'a pas l'air de se rendre compte de l'effet qu'elle a sur Max.

— Peux-tu rapprocher nos pupitres pendant que je vais chercher le livre? dit-elle à Max.

Il hoche la tête. C'est difficile de parler à Dana.

**SURTOUT DU HAUT DE SON PETIT NUAGE.**

Il pousse un pupitre, puis l'autre. Il les déplace jusqu'à ce qu'ils soient parfaitement alignés. Puis il va chercher les chaises.

C'est seulement en voyant Dana revenir qu'il a le sentiment d'avoir oublié quelque chose.

Une chose importante. Il secoue la tête. De quoi s'agit-il donc?

Tout à coup, il s'en souvient.

**Il n'a pas fait de rime!**

Tout énervé, il repense aux paroles de Dana.

**Ça concernait les pupitres... et les fleurs. Non, non, non!**

Elle a parlé du livre. LIVRE! C'est ça!

— J'ai déplacé nos pupitres, Dana. Si tu veux bien me suivre...

Il lui adresse un sourire béat. Il a de nouveau l'impression de flotter en apesanteur.

Ça ne dure pas longtemps.

— Hé, Max, te souviens-tu à quelle page on est RENDUS? lance une voix énervante à l'autre bout de la classe.

Zut, pense Max. *Elle ne pourrait pas me lâcher?*

**— JE N'EN PEUX PLUS! CHUCHOTE-T-IL EN FUSILLANT MARIE-SOPHIE DU REGARD.**

— Il y a un problème, Marie-Sophie? demande Madame Rioux.

— Non. Je demandais à Max quelle page on a lue la semaine dernière.

— Très bien, mais ne parle pas si fort, dit l'enseignante. Et toi, Max, te souviens-tu de la page?

Maximus la regarde avec de grands yeux. Bien sûr qu'il s'en souvient.

En fait, Dana pointe justement la page du doigt.

**Sauf qu'il ne peut pas la nommer.**

**Pas sans rime !**

Du coin de l'œil, il voit Marie-Sophie porter une main à sa bouche. Elle tente de réprimer son fou rire.

Cage, paysage, trucage, visage... Rien ne fonctionne.

Tout à coup, une terrible vision apparaît dans l'esprit de Max.

Devant sa maison, il y a
une grande boîte sur laquelle
on peut lire le mot «GRATUIT»,
remplie de toutes ses BD.
Des centaines d'enfants se pressent
sur le trottoir et dans la rue.
Chacun saisit une BD en passant.

**ET EN PLUS ILS JETTENT TOUS LA POCHETTE DE PLASTIQUE DE COLLECTION À LA POUBELLE.**

– C'était la page quarante-huit,
Madame Rioux, finit-il par dire en
voyant que l'enseignante s'apprête
à interroger quelqu'un d'autre.

Tous les élèves ouvrent leur livre.
Seule Marie-Sophie attend
en haussant les sourcils.

— ... et ce roman n'a même pas d'images! bafouille Max.

Madame Rioux le dévisage. Maximus est convaincu qu'elle peut lire dans ses pensées.

— C'est vrai, Max. C'est incroyable qu'on ait réussi à en lire autant.

**— IL FAUT DIRE QU'ON LIT DEPUIS LONGTEMPS, RÉPLIQUE MAX.**

Il enfouit la tête dans son livre, dans l'espoir que Madame Rioux cesse de lui parler.

# Chapitre sept

# Tap, scouic

L'après-midi se déroule comme la matinée. Même s'il doit se méfier de Marie-Sophie, Maximus continue de rimer ses réponses. Chaque phrase. Chaque dernier mot. Et comme il l'espérait, ce jeu lui prend toute son énergie.

**Finie la méga bougeotte !**

Au milieu du cours de géographie, Max éprouve une drôle de sensation. Il lève les yeux de la carte qu'il est en train de compléter et aperçoit Marie-Sophie. Elle se faufile entre les pupitres et se dirige tout droit vers lui. Encore!

**ELLE RESSEMBLE À UN SERPENT SINUEUX ET SOURNOIS.**

Maximus lève aussitôt la main.

— Madame Rioux?

L'enseignante est en train de corriger des devoirs. En la voyant lever la tête, Marie-Sophie bifurque et se dirige vers le taille-crayon.

— Oui, Max, je peux t'aider? demande Madame Rioux.

Elle a terminé sa question par le mot «aider». C'est facile à faire rimer.

— Je voudrais aller aux toilettes. Pouvez-vous me donner la clé?

Madame Rioux hoche la tête et lui tend la clé.

Elle est attachée à un carton portant une image de toilette. Tenir ce carton le met toujours mal à l'aise.

Mais cette fois, il le brandit comme un trophée devant Marie-Sophie, qui fait semblant de tailler son crayon. Elle lui tire la langue.

Une fois dans le couloir, Maximus éclate de rire. C'était amusant de voir la mine dépitée de Marie-Sophie. Et grâce à elle, il a une petite pause!

Il décide de prendre son temps.

Il s'arrête à la fontaine pour boire une gorgée d'eau. Il regarde dans les autres classes au passage.
Il marche de côté, à reculons,
puis saute à cloche-pied. Juste pour le plaisir.

Soudain, Max se fige. Il entend un drôle de bruit.

Tap, scouic. Tap, scouic.

Des pas résonnent sur
le plancher ciré. Et ce ne sont pas

les siens! Quelqu'un approche. Quelqu'un qui voudra peut-être

**LUI PARLER!**

Il pivote aussitôt pour regarder une affiche sur le mur.

*Aimes-tu la mode?*
*Participe au défilé de l'école afin d'aider à amasser des fonds pour les banques alimentaires.*

Peut-être que cette personne va passer sans lui parler. Peut-être qu'elle ne le remarquera pas.

**TAP, SCOUIC. TAP, SCOUIC.**

Les pas se rapprochent de plus en plus.

## MAX SE PENCHE VERS L'AFFICHE ET FERME LES YEUX.

Les pas s'arrêtent.

— Hé! Comment vas-tu, Maximus Todd?

C'est une voix d'enfant. Mais le cœur de Max bat si fort qu'il ne la reconnaît pas.

**TODD : CODE, ÉPISODE...**

Il a un nom de famille très simple, mais ce n'est pas si simple de le faire rimer!

— Je... commence-t-il en se tournant lentement.

**TODD : MÉTHODE, PÉRIODE...**

— vais... poursuit-il en essayant de gagner du temps.

**TODD : ANTIPODE, COMMODE...**

— bien...

Il fait presque face
à son interlocuteur.

**TODD: ÉLECTRODE, MODE...**

Pourquoi les mots ne veulent-ils pas collaborer? Il se sent piégé comme un ver sur un hameçon.

Max lève les yeux pour voir qui lui parle. Aussi bien faire face à l'ennemi.

C'est Rod Vanslo, un élève de quatrième année.

**TODD: ROD!**

— ... **ROD!** conclut-il.

Rod le salue du menton et poursuit son chemin. Max porte une main à sa poitrine en avalant sa salive.

Quel coup de veine!

**C'EST UN MIRACLE!**

Décidant de ne pas jouer avec le feu, il fait demi-tour et revient vers sa classe. Il ne s'arrête même pas aux toilettes.

# Chapitre huit

# Pris au piège

*«Les feuilles de la dionée attrape-mouche s'ouvrent pour attendre la visite d'un délicieux insecte...»*

C'est la fin de l'après-midi. Comme l'a dit Marie-Sophie, Madame Rioux leur présente un film sur les plantes (pas l'amiante). Tous les élèves sont attentifs et silencieux.

Maximus se contente de rester assis en laissant son esprit vagabonder. C'est difficile de parler en rimes sans arrêt, même si cela l'aide à se concentrer.

Sur l'écran, un arc-en-ciel se dessine au-dessus d'une forêt. Trois rangées devant lui, Marie-Sophie se tourne pour lui jeter un regard méprisant. Il se demande pourquoi. Cherche-t-elle toujours une façon de le faire bafouiller et bredouiller?

Veut-elle gâcher son jeu?

**Cette pensée lui donne la chair de poule.**

– Les enfants, vous avez bien travaillé aujourd'hui, déclare l'enseignante. Comme récompense, vous pouvez passer la dernière demi-heure dans le centre d'apprentissage de votre choix.

Les élèves se précipitent vers les différentes tables à l'arrière de la pièce.

Max choisit habituellement la table de construction. Mais en voyant Marie-Sophie se diriger vers celle-là, il opte plutôt pour le coin des arts plastiques.

6
x3
12
x2
11
x8
9
6
x1

Pendant qu'il installe son chevalet, il sent qu'on lui tape sur l'épaule. C'est Marie-Sophie.

— Salut, Max. Je vois que tu fais de la peinture, toi aussi.

Max recule d'un pas. Ses poils se dressent sur ses bras.

— Oui. Laisse-moi tranquille, je t'ai dit!

La bouche de Marie-Sophie s'étire dans un sourire rusé et méchant.

— Je me demandais juste si tu avais de la peinture

# Chapitre neuf

# Mission impossible

Le temps s'arrête. La respiration de Max se coince dans sa gorge, et ses yeux s'écarquillent comme deux boules de gomme géantes.

**POURPRE!**
**QU'EST-CE QUI RIME AVEC POURPRE?**

*Voyons, qu'est-ce qui rime avec pourpre?* se répète Max. La réponse lui revient comme un boomerang:

**RIEN! RIEN NE RIME AVEC POURPRE!**

Maximus est certain qu'il s'agit d'un de ces mots que les poètes évitent à tout prix, comme les mots «simple» et «muscle».

Et si les poètes ne peuvent pas faire rimer le mot pourpre, comment y parviendra-t-il, lui?

Bleu, heureux; vert, hiver; jaune, icône; rose, chose. Chaque couleur a une rime. Toutes, sauf le pourpre!

La journée est presque terminée. Il avait pratiquement gagné. Et maintenant, on dirait que Marie-Sophie va tout saboter.

— Ma satanée Méga Bougeotte! rage-t-il. Pourquoi ai-je décidé de parier toutes mes BD? Pourquoi ne puis-je pas rester tranquille comme les autres?

Il baisse la tête.

— Marie-Sophie, as-tu besoin d'aide? demande Madame Rioux.

— Non, Madame Rioux. Je demandais à Max s'il avait de la peinture pourpre.

Marie-Sophie répond d'un ton innocent, comme si elle n'essayait pas de lui gâcher la vie.

— Je vois, dit l'enseignante.

Elle regarde les pots de peinture de Max et ajoute:

— Max a seulement de la peinture verte. C'est tout ce qu'il lui faut pour peindre ses fougères.

**MÊME SI PARFOIS, LEUR FEUILLAGE S'EMPOURPRE!**

# Chapitre dix

# Le roi des rimes

— Leur feuillage s'empourpre? répète Marie-Sophie d'une voix étranglée.

— Mais oui, réplique Madame Rioux. Comme certaines fougères dans le film. Tu n'as pas écouté?

Maximus voudrait crier: «Non, elle n'écoutait pas! Elle était trop occupée à me faire échouer!»

— Le film parlait de plusieurs plantes, explique l’enseignante avant de se tourner vers Max. Dont les fougères.

**EMPOURPRE**
**Rime**
**avec POURPRE !**

Des feux d'artifice éclatent dans la tête de Maximus. Il a envie de hurler «*YA-HOU!*» et de faire la roue dans la classe. Il a une rime! Il n'a pas perdu, finalement.

— Je vais aller chercher la peinture pour Marie-Sophie, Madame Rioux, propose-t-il en souriant.

Moi, je vais me contenter du vert.

**MADAME RIOUX LUI SOURIT. ELLE A UNE DRÔLE DE LUEUR DANS LES YEUX.**

*Se doute-t-elle de mon petit jeu?* se demande Max en la regardant s'éloigner.

Il se tourne pour donner le pot de peinture à Marie-Sophie, qui n'a pas bougé. Seule sa bouche s'ouvre et se referme avec un drôle de clapotis.

Elle a les joues toutes rouges.

– Tiens, voici ta peinture,
Marie-Chipie. Attention, ton visage

**S'EMPOURPRE !**

Marie-Sophie sort de sa transe et lui arrache le pot de peinture. Max a l'impression qu'elle va exploser.

Au lieu de cela, elle lève les mains dans les airs et déclare:

— Bon, bon, j'abandonne, Max.

**TU AS GAGNÉ! JE ME DÉGONFLE!**

Max réplique en plissant les yeux:

— Parfait! Je suis content que ce soit fini. Et parfois, je ronfle.

— Ça va, Max. J'ai compris.

Tu es le roi des rimes.

Il brandit son pinceau comme un sceptre.

— Hé oui! dit-il en ouvrant un pot de peinture. Regarde, c'est du vert... lime!

Il éclate de rire et Marie-Sophie ne peut s'empêcher de l'imiter.

— Bon, je vais aller peindre, dit-elle quand ils se sont calmés.

Puis elle ajoute:

– J'ai une dernière question. Est-ce que je peux rentrer avec toi après l'école?

Max réfléchit. Marie-Sophie est aussi énervante qu'un essaim de maringouins. Pourtant, elle l'a aidé, d'une certaine façon. Ses mauvais tours l'ont gardé sur le qui-vive, ce qui l'a aidé à calmer sa Méga Bougeotte.

– D'accord, mais ne fais pas la folle.

– Oh là là! dit-elle en levant les yeux au ciel.

– J'adore le spaghetti.

* * *

— Quoi de neuf à l'école,
aujourd'hui? demande papi à Max.

Il est en train de lui préparer
une collation de craquelins
et de fromage. Sarah est
dans sa chaise haute et essaie
de manger de la compote
de pommes toute seule.

— J'ai fait de la peinture, dit-il.

Il sort soigneusement son œuvre
de son sac.

— C'est beau, dit papi.
On va le mettre sur le frigo. Heu,
c'est une plante, hein?

**— OUI, PAPI.**
**UNE FOUGÈRE VERTE,**
répond fièrement Maximus.

Il fixe la feuille au réfrigérateur avec des aimants et recule pour l'admirer.

— Ça s'intitule «Le roi des rimes».

# À PARAÎTRE
## dans la même collection

Catalogage avant publication de
Bibliothèque et Archives nationales
du Québec et Bibliothèque
et Archives Canada

Nicodemo, L. M.
Illustrations : Graham Ross

[Hyper to the Max. Français]
Un max de problèmes
(Maximus T.)

Maximus T. - Un max de problèmes
Traduction de : Maximus Todd -
Hyper to the Max

Pour enfants de 7 ans et plus.

ISBN 978-2-7625-9754-7

I. Allard, Isabelle. II. Titre.
III. Titre : Hyper to the Max. Français.

PS8627.I245H9614 2017 jC813'.6
C2017-940624-8
PS9627.I245H9614 2017



Éditeur d'origine :
Formac Publishing Company Limited
www.formac.ca
Publié pour la première fois
aux États-Unis en 2017.

Direction littéraire : Mathilde Singer
Traduction : Isabelle Allard
Conception graphique : Nancy Jacques
Révision : Valérie Quintal

Droits et permissions : Barbara Creary
Service aux collectivités : espacepedagogique
@dominiqueetcompagnie.com
Service aux lecteurs :
serviceclient@editionsheritage.com

Dépôt légal : 2e trimestre 2017
Bibliothèque et Archives
nationales du Québec
Bibliothèque et Archives Canada

Dominique et compagnie
1101, avenue Victoria
Saint-Lambert (Québec) J4R 1P8
Téléphone : 514 875-0327
Télécopieur : 450 672-5448
dominiqueetcompagnie@editionsheritage.com
dominiqueetcompagnie.com

Imprimé au Canada

Nous reconnaissons l'aide financière
du gouvernement du Canada par
l'entremise du Fonds du livre du Canada.

Nous reconnaissons l'aide financière
du gouvernement du Québec par l'entremise
du Programme de crédit d'impôt – SODEC –
Programme d'aide à l'édition de livres.

Nous remercions le Conseil des arts
du Canada de l'aide accordée
à notre programme de publication.

Financé par le
gouvernement
du Canada | Canada